histoires pressées

Du même auteur
dans la même collection :

Nouvelles histoires pressées
Encore des histoires pressées
Pressé, pressée
Pressé ? Pas si pressé !
Tous pressés

1, rond-point du Général-Eisenhower,
31101 Toulouse Cedex 9, France

Loi 49-956 du 16 juillet 1949
sur les publications destinées à la jeunesse.

Dépôt légal : septembre 2019
ISBN : 978-2-4080-1493-3
editionsmilan.com

Bernard Friot

histoires pressées

MILAN

Histoire d'histoires

Il était une fois un enfant qui ne croyait pas aux histoires. Dès que sa mère commençait : « Il était une fois un ogre cruel... », il l'interrompait.

– Ne me raconte pas d'histoires, disait-il, les ogres, ça n'existe pas !

Et quand son grand-père se mettait à lire à haute voix : « Il était une fois un roi... », il demandait aussitôt :

– Le roi de quoi ? Le roi d'Angleterre ou le roi de Panamá ? Il a vécu de quand à quand ? C'est de l'histoire ou c'est des histoires ?

Même quand on lui racontait une histoire vraie, il secouait la tête, l'air de dire : « Vous faites vraiment des histoires pour pas grand-chose. » Et au bout de trente secondes, il se mettait à bâiller et à se frotter les yeux.

Il disait :

– Comment voulez-vous que je vous croie : je ne vois rien, je ne sens rien de ce que vous me racontez. C'est comme si l'histoire partait sans moi !

Un jour, je lui ai demandé de s'asseoir à côté de moi sur le canapé et je lui ai raconté une histoire. L'histoire d'un enfant qui ne croyait pas aux histoires. Dès que sa mère commençait : « Il était une fois un ogre cruel... », il l'interrompait...

Il ne m'a pas interrompu. Il m'a laissé raconter. Quand j'ai eu fini, il m'a dit :

– C'est drôle, cette histoire, je la vois et je la sens. C'est comme si j'étais dedans. Tu pourrais me la raconter encore une fois ?

J'ai repris l'histoire depuis le début et il m'a écouté avec la même attention. Puis il m'a demandé :

– Tu pourrais me raconter les histoires auxquelles l'enfant de ton histoire ne croyait pas ?

J'ai raconté des histoires d'ogres et de sorcières, des histoires de rois et de princesses et beaucoup d'histoires vraies pour terminer.

Et, chaque fois, il disait :

– Effectivement, c'est incroyable ! Qu'est-ce qu'il disait, l'enfant de ton histoire, quand il entendait ça ?

– La même chose que toi : « Effectivement, c'est incroyable ! »

Silence

La maîtresse a hurlé :

– Silence ! Taisez-vous ! Exercice 6 page 23 ! Silence, j'ai dit ! SILENCE !

J'ai compté : c'était la quarante-septième fois qu'elle hurlait aujourd'hui. Et j'ai pensé : « Si elle continue, elle va me transpercer la tête, je le sens, ça va éclater comme une fusée. »

On s'est tous mis à éc rire dans nos cahiers. On osait à peine respirer ; je crois bien qu'on allait étouffer.

Et puis, Marie a laissé tomber sa gomme.

– SILENCE ! a hurlé là maîtresse. Taisez-vous et travaillez !

Alors, moi, je me suis levé et j'ai respiré autant que j'ai pu. J'ai regardé la maîtresse et j'ai hurlé :

– SILENCE ! Taisez-vous et laissez-nous travailler !

Elle a ouvert très grand la bouche et elle a mis la main sur son cœur. Et puis elle a fermé la bouche, ouvert la bouche, fermé la bouche...

On a compris qu'elle allait étouffer. On a vite cherché un bocal et on l'a rempli d'eau. On a mis le bocal sur le bureau et la maîtresse a plongé dedans. Elle nageait furieusement dans l'eau et elle tournait à toute vitesse en ouvrant et en fermant la bouche. Ça faisait des bulles.

On s'est remis au travail. J'ai fini mon exercice et puis j'ai écrit un texte. Une histoire de pirates. Ensuite, avec David, on a cherché dans un livre des renseignements sur Marco Polo. Et j'ai pensé : « Si elle reste encore un peu dans son bocal, j'aurai le temps de faire des mathématiques.

Et peut-être, même, d'écouter de la musique. »

Télévision

Moi, j'adore regarder la télévision.

Je connais les programmes par cœur et je sais tout ce qui se passe dans le poste. Je me suis même amusé à le démonter et à le remonter plusieurs fois et j'ai rajouté deux ou trois boutons.

Mes parents ne sont pas d'accord. Ils disent que je perds mon temps et que je ferais mieux d'apprendre mes leçons.

L'autre soir, je regardais un film policier passionnant quand mon père s'est mis à hurler comme un sauvage :

– Éteins la télévision ! Ça fait quatre heures que tu es planté là devant comme un poteau électrique dans un champ de navets ! Tu vas bientôt avoir le cerveau aussi mou que du chocolat fondu ! File dans ta chambre et va lire un peu ton livre de lecture !

Il y a longtemps que j'ai compris qu'il vaut mieux ne pas discuter avec mon père quand il est dans cet état-là. Je suis donc allé dans ma chambre et j'ai pris mon livre de lecture.

Je me suis endormi avant d'avoir terminé la deuxième ligne.

J'ai été réveillé par des cris et des hurlements. En écoutant bien, j'ai reconnu les voix de toute la famille : les barrissements de mon père, les mugissements de ma mère, les piaillements de ma grand-mère et les hennissements de ma sœur.

Je suis allé voir ce qui se passait. Et j'ai vu ! Un python essayait d'étouffer ma grand-mère, un crocodile avait attaqué une cuisse de mon père, deux jaguars se disputaient ma mère et un requin demandait à ma sœur d'enlever ses chaussures pour qu'il puisse la croquer proprement. Et des centaines de fourmis rouges sortaient du poste de télévision et couraient comme des folles dans le salon.

Je me suis précipité pour éteindre la télévision et tout est rentré dans l'ordre. Sauf que ma sœur a continué à sangloter pendant dix minutes.

Je lui ai donné un mouchoir et j'ai dit à mon père :

– Voilà ce qui se passe quand on ne sait pas se servir d'une télévision !

– Mais on voulait juste mettre un documentaire sur les animaux ! a-t-il répondu.

Je lui ai dit de me laisser faire et j'ai remis mon film policier. Ils ont tous râlé en disant que c'était débile, mais ils ont regardé jusqu'au bout avec moi.

Et il a fallu que je me fâche pour qu'ils aillent au lit : ils voulaient encore regarder les informations télévisées.

Il faudra que je bricole à nouveau le poste de télévision. Sinon, ça va mal se terminer…

Histoire à l'endroit

Un éléphant jouait tranquillement aux billes.

Survint un tigre affamé qui avala l'éléphant avec un peu de sauce tomate.

Une antilope, bonne cuisinière, dévora le tigre en pot-au-feu.

Un ouistiti avec cravate et chapeau melon grignota l'antilope rôtie à la broche.

Un rat acrobate engloutit le ouistiti à la croque-au-sel.

Un scarabée mal réveillé dégusta le rat en brochettes avec du riz.

Mais la mouche, écœurée, fit la grimace :

« Du scarabée, pouah, ça me donne mal au foie ! »

Il ou elle

Choisir pour chaque verbe le pronom qui convient.

Il/elle s'enferme dans la salle de bains. *Il/elle* allume le néon au-dessus du miroir. Sur la tablette sont rangés : à droite, rasoir, mousse à raser, lotion après rasage ; à gauche, tubes de rouge à lèvres, fard à paupières, fard à joues, mascara...

Il/elle hésite un instant, puis tend la main vers la droite. *Il/elle* prend la bombe de mousse à raser, presse une grosse noix de mousse sur le bout de ses doigts et, maladroitement, s'en enduit les joues. Bien sûr, *il/elle* n'a pas de barbe, pas un poil, mais qui sait ? peut-être que ça aide de faire semblant... *Il/elle* manie le rasoir avec précaution et, très vite, trouve le bon geste. La lame effleure la peau, sans la blesser. Rien d'étonnant après tout : *il/elle* a si souvent observé papa.

Après le rasage, l'après-rasage. Ça picote un peu.

Et maintenant ? *Il/elle* se regarde dans la glace. Il faut essayer autre chose. Le rouge à lèvres. Comment fait maman, déjà ? *Il/elle* avance les lèvres en les ouvrant pour dessiner un petit O et passe le bâton de rouge en s'appliquant, en essayant de ne pas déborder, comme lorsqu'*il/elle* colorie un dessin. Là. Puis *il/elle* pince les lèvres, les roule l'une sur l'autre, comme maman, exactement...

– Tu peux venir goûter, c'est prêt !

C'est sa mère qui appelle depuis la cuisine. Mais il/elle hausse les épaules. Il/elle n'a pas faim. Il/elle a mieux à faire que d'aller goûter. Il/elle noircit ses cils d'un peu de mascara, puis trace un trait de khôl sous chaque œil. Comme cela change son regard ! *Il/elle* a l'air d'un prince oriental. Ou d'une princesse.

Pourquoi se dessine-t-il/elle aussi, avec le crayon de khôl, une fine moustache ? Et pourquoi la corrige-t-*il/elle* en étalant une touche de fard sur ses paupières ? *Il/elle* ne sourit pas en faisant tout cela, on sent qu'*il/elle* s'applique, qu'*il/elle* cherche dans le visage que reflète le miroir quelque chose qu'*il/elle* ne trouve pas.

Il/elle regarde autour de *lui/d'elle*. Une cravate est accrochée au portemanteau fixé sur la porte. *Il/elle* la décroche et se la noue autour du cou. Puis, pour rétablir l'équilibre, *il/elle* pince à ses oreilles deux clips dorés trouvés dans la boîte à bijoux de sa mère.

– Camille, tu te décides, oui ou non ?

Se décider ? Pourquoi, vraiment ? *Il/elle* se contemple dans la glace : rouge à lèvres, moustache, fard à paupières, cravate... Parfait, c'est parfait comme ça. Alors, non, *il/elle* ne décidera pas. Pas aujourd'hui, pas encore, en tout cas.

Attendons la suite...

J'ai pris un livre de contes et j'ai lu :

« Il était une fois un roi et une reine qui n'avaient pas d'enfant et qui en étaient fort désolés. »

J'ai sauté quelques pages et voilà ce que je trouve :

« Il était une fois une pauvre orpheline qui rêvait d'un foyer où on l'accueillerait, où on la traiterait comme la fille de la maison. »

Quand j'ai vu cela, j'ai vite couru chez le roi et la reine et je leur ai dit que je connaissais une petite fille qui, j'en étais sûr, ne souhaitait rien tant que d'avoir une famille, des parents.

Puis j'ai couru chez l'orpheline et je lui ai annoncé que j'avais trouvé un roi et une reine sans enfant. Ils seraient très heureux de l'adopter, je m'en portais garant.

– En êtes-vous vraiment sûr ? me demanda l'orpheline qui n'osait croire à un tel bonheur.

– Est-ce bien certain ? me demandèrent le roi et la reine, très émus. Est-il possible que tout s'arrange aussi vite ?

Je les ai rassurés et j'ai fixé un rendez-vous.

Et maintenant, j'attends la suite avec impatience. J'ai bon espoir que ça devienne intéressant. « Car, ai-je pensé, dans les histoires habituelles, tout va mal au début et c'est seulement à la fin que ça s'arrange. Mais si ça commence bien, il y a des chances pour que ça se termine mal. Très mal peut-être ! » Ce serait beaucoup plus drôle, non ?

Encore une histoire tragique

Sur un rayonnage de bibliothèque, un gros livre à couverture rouge demande très poliment à son voisin, un petit maigrichon plutôt pâle :

– Donner me monsieur pardon pourriez renseignement un vous ?

– Excusez-moi, je ne comprends pas ce que vous dites, répond tout aussi poliment le voisin maigrichon.

– Ah, c'est vrai, dit le gros livre rouge avec un soupçon de mépris, j'oubliais que vous n'êtes qu'un petit roman et que vous ne savez pas parler comme nous, les dictionnaires, par ordre alphabétique !

– Un dictionnaire ! s'écrie le roman, indigné. Eh bien, puis-je vous demander, monsieur le dictionnaire, ce que vous faites dans une histoire ? Les histoires, c'est réservé à nous autres les romans !

Réellement vexé, le gros dictionnaire rouge s'abat de tout son poids sur le petit roman, maigre et pâlot.

– Crétin de espèce tiens, dit-il, capables d' des dictionnaires histoires inventer les prouvera que qui sanglantes sont te voilà !

Image

Comme une image. Je faisais tout ce qu'ils disaient. J'étais comme ils voulaient que je sois. Sage comme une image.

Ils m'ont pris en photo, et affiché sur les murs. Pour vendre des yaourts et des chaussettes en coton.

Ils m'ont collé dans les catalogues, pour présenter leurs modèles de tricot. Ils m'ont glissé dans les magazines. À la rubrique Enfants, juste avant les recettes de cuisine.

Comme une image.

Mais toi, tu as déchiré la page et tu m'as découpé sans m'abîmer. Avec tes crayons, tu m'as fait une moustache et des petits yeux comme les Chinois, avec du bleu tout autour. Tu m'as teint les cheveux en rose et percé l'oreille droite pour y accrocher un anneau.

Ils ne m'auraient pas reconnu.

Et puis tu as ouvert la fenêtre. Il y a eu un courant d'air. Et l'image s'est envolée.

La chose

Je me suis réveillé, le cœur battant et les mains moites. La chose était là, sous mon lit, vivante et dangereuse. Je me suis dit : « Surtout ne bouge pas ! Il ne faut pas qu'elle sache que tu es réveillé. » Je la sentais gonfler, s'enfler et étirer l'un après l'autre ses tentacules innombrables. Elle ouvrait la gueule, maintenant, et déployait ses antennes. C'était l'heure où elle guettait sa proie. Raide, les bras collés au corps, je retenais ma respiration en pensant : « Il faut tenir cinq minutes. Dans cinq minutes, elle s'assoupira et le danger sera passé. » Je comptais les secondes dans ma tête, interminablement. À un moment, j'ai cru sentir le lit bouger. J'ai failli crier. Qu'est-ce qu'il lui prend ? Que va-t-elle faire ? Jamais elle n'est sortie de dessous le lit. J'ai senti sur ma main un léger frisson, comme une caresse très lente. Et puis plus rien. J'ai continué à compter, en m'efforçant de ne penser qu'aux nombres qui défilaient dans ma tête : cinquante et un, cinquante-deux, cinquante-trois... J'ai laissé passer bien plus de cinq minutes. Je me suis remis enfin à respirer normalement, à me détendre un petit peu. Mais mon cœur battait toujours très fort. Il résonnait partout en moi, jusque dans la paume de mes mains. Je me répétais : « N'aie plus peur. La chose a repris sa forme naturelle. Son heure est passée. »

Mais, cette nuit-là, la peur ne voulait pas me lâcher. Elle s'accrochait à moi, elle me serrait le cou. Une question, toujours la même, roulait dans ma tête : Qui est la chose ? La chose qui, chaque nuit, gonfle et s'enfle sous mon lit, et s'étire à l'affût d'une proie. Et puis reprend sa forme naturelle après quelques minutes.

J'ai compté jusqu'à dix en déplaçant lentement ma main droite vers la lampe de chevet. À dix, j'ai allumé et j'ai sauté sur le tapis, le plus loin possible. Et qu'est-ce que j'ai vu sous mon lit ? Mes pantoufles ! Mes bonnes vieilles pantoufles que je traîne aux pieds depuis près de deux ans. Elles me sont trop petites, déjà, et percées en plusieurs endroits.

J'étais vraiment déçu. Et un peu triste. Je me suis dit : « Alors, on ne peut plus avoir confiance en rien ? Il faut se méfier de tout, même des objets les plus familiers ? » J'ai regardé longtemps les pantoufles. Elles avaient l'air parfaitement inoffensives, mais je ne m'y suis pas laissé prendre. Avec beaucoup de précaution, je les ai enveloppées dans du papier journal et j'ai soigneusement ficelé le paquet. Et j'ai jeté le tout dans la chaudière.

Histoire policière

Une puce se promenait sur le bras d'un fauteuil. Elle rencontra un long cheveu blond qui se regardait dans un miroir de poche.

– Hé ! fit le cheveu, faites donc attention où vous marchez. Surtout ne me touchez pas, ne me déplacez pas : je suis un indice !

– Un indice, qu'est-ce que c'est que ça ?

– Figurez-vous qu'un crime a été commis ici, dans cette pièce. On a découvert la victime sur le fauteuil d'en face, une balle en plein cœur. L'enquête a prouvé que l'assassin était assis sur le fauteuil où nous nous trouvons. Alors, voyez-vous, je suis extrêmement important :

quand les policiers me découvriront, ils chercheront d'où je viens et, grâce à moi, ils démasqueront l'assassin ! Tout le monde parlera de moi, les journaux, la télé, je vais devenir célèbre !

– Si je comprends bien, dit la puce, on a intérêt à être chauve quand on veut trucider quelqu'un : ces bavards de cheveux sont toujours prêts à vous trahir, rien que pour se faire mousser !

Alors elle jeta la perruque bouclée qu'elle portait ce jour-là et abattit froidement le long cheveu blond d'un coup de revolver tiré en plein cœur.

Texte libre

Dimanche, je suis allé chez mon tonton et ma tata. On a mangé du poulet avec des frites. Après, on est allés au zoo et on a vu le tigre dans sa cage. Quelle belle journée !

Lundi, je suis allé chez le tigre. On a mangé mon tonton et ma tata avec des frites. Après, on est allés au zoo et on a vu le poulet dans sa cage. Quelle belle journée !

Mardi, je suis allé chez le poulet avec des frites. On a mangé le tigre. Après, on est allés au zoo et on a vu mon tonton et ma tata dans leur cage. Quelle belle journée !

Etc.

L'événement

C'est vraiment ennuyeux de se lever, le matin, et de sortir de son lit pour toute une journée.

Aujourd'hui, au petit déjeuner, j'ai trouvé un serpent à sonnettes dans la boîte à sucre. Hier, c'était un serpent à lunettes.

Et puis, je n'ai pas pu boire mon chocolat parce qu'il y avait une sirène qui nageait la brasse dans ma tasse.

Quand j'ai voulu me couper une tartine, le pain s'est mis à parler. Il m'a dit d'une voix ensommeillée : « Tu ferais mieux d'aller te laver les mains. »

Dans la salle de bains, une sorcière s'était amusée à transformer mon peigne en prince charmant et mon père en mille-pattes. J'ai dû dire à mon père d'aller s'essuyer les pieds ailleurs que dans le lavabo. Et j'ai demandé à la sorcière d'arrêter ses bricolages.

En passant par le salon, j'ai vu mon petit frère qui mangeait la télévision. Et après, il s'étonne d'avoir mal au ventre !

Je suis retourné dans ma chambre et, comme d'habitude, je me suis disputé avec ma sœur. C'est la millième fois au moins que je lui dis de ne pas déployer ses ailes dans la chambre ! Elle sait très bien que ça me fait éternuer, tousser, cracher, et que je ne peux plus respirer. Furieux, je l'ai jetée par la fenêtre et elle est allée se percher sur un poteau électrique.

Ensuite, j'ai couru après mon cartable qui sautait comme un kangourou et je l'ai attrapé au lasso. Ça va, je suis entraîné.

Je n'ai pas pu prendre l'ascenseur parce que des souris l'avaient transformé en discothèque. Elles avaient l'air de bien s'amuser.

J'ai descendu quatre à quatre les escaliers et j'ai bousculé M. Lebart qui allait promener son alligator. Et j'ai failli renverser une vieille dame qui marchait sur les mains.

En sortant de l'immeuble, j'ai dû prendre mon élan pour sauter par-dessus le ravin qui remplaçait le trottoir. Comme toujours, des gens distraits étaient tombés dedans et on les entendait hurler.

Et j'ai pensé : « Si ça continue comme ça, je vais mourir d'ennui. Pourquoi ne m'arrive-t-il jamais rien, à moi ? »

Mais juste à ce moment-là, quelqu'un m'a frappé sur l'épaule. C'était Marie. Elle m'a fait un clin d'œil et elle a dit : « Salut ! » Et puis elle a disparu dans la foule.

Je l'ai regardée s'éloigner et tout à coup, dans ma tête, ça s'est mis à chanter.

Mme Denis ne veut pas d'histoires

Dans le jardin de Mme Denis, deux pinces à linge, l'une en bois, l'autre en plastique, font un brin de causette pour passer le temps.

– Ah, soupire la pince en bois, si je pouvais m'installer sur un fil électrique ! Ça doit être excitant ! Ou sur les cordes d'une guitare : j'adore la musique !

– Moi, dit la pince en plastique, je rêve de me fixer sur un fil barbelé : j'aime le danger ! Ou sur le câble du téléphone, pour espionner des conversations secrètes !

– Pas d'histoires ! dit Mme Denis en suspendant une chaussette et un chiffon à poussière. Vous resterez sur mon fil à linge !

Et voilà : à cause d'elle, il ne se passe rien.

Torture sur rendez-vous

Ah, monsieur le dentiste, vous allez passer un mauvais quart d'heure, si seulement vous me tombez sous la main.

Asseyez-vous, je vous prie. Vroup... je monte le siège, j'abaisse le dossier. On est bien, n'est-ce pas, sur mon fauteuil de torture ? Là, là, là, ouvrez bien grand la bouche. Bien grand, j'ai dit. Encore un petit effort et vous vous décrochez la mâchoire. Et un petit coup de roulette. C'est gentil, n'est-ce pas ? N'avez-vous pas l'impression qu'un bon vieux métro tout brinquebalant fait des tours et des détours sur vos dents et vos gencives ?

Maintenant, je grattouille avec toutes sortes d'instruments pointus. Je sonde, je pique, je plombe, je perce, j'enfonce, je tire, je serre, je martèle, j'arrache, tout ce que vous voulez, cher monsieur, tout ce que vous voulez... Et si je vous fais mal, dites-le-moi.

– Arg grrm aarrgmmlbeubleubtchch.

Pardon ? Comment ? Que dites-vous ? Articulez, je vous prie.

Mais non, mais non, ça ne fait pas mal du tout. Un grand garçon comme vous, voyons, ça n'est plus douillet comme un bébé.

Goûtez-moi ça maintenant. Cette mixture délicieusement abominable qui vous picote la langue et vous met les gencives en feu. Irrésistible, n'est-ce pas, son bon goût de framboise à la moutarde ?

Bon, fini la plaisanterie. Crachez. Rincez.

Prochain rendez-vous, lundi, 16 heures.

Et moi, je dis poliment :

– Merci beaucoup. À la prochaine. Au revoir, monsieur le dentiste.

Parce que la prochaine fois...

Scène

Personnages : Clément, 12 ans
Sa mère

La scène se déroule dans le petit appartement où vivent les deux personnages. Clément, installé à la table de la salle à manger-salon, écrit. Autour de lui, des livres et des cahiers. Sa mère, assise dans un fauteuil, lit un magazine.

La mère (*posant sur ses genoux le magazine*) : Tu es encore sur tes devoirs ?
Clément (*continuant d'écrire*) : Non, non, j'ai fini.
La mère : Mais alors qu'est-ce que tu fabriques ?
Clément (*hésitant*) : J'écris une lettre.
La mère (*le dos raidi, l'oreille dressée, comme un animal qui a flairé le danger*) : À qui ?
Clément (*presque honteux*) : À papa.

La mère (*voix glacée*) : Ah…

Elle feuillette bruyamment le magazine sans le lire. Un long moment sans paroles. Puis la mère se dirige vers le buffet. En passant derrière Clément, elle se penche un peu pour voir ce qu'il écrit. Clément, de son bras, cache la lettre. Trop tard, sa mère a surpris quelques mots.

La mère (*ouvrant le buffet, sans regarder son fils*) : Tu es sûr que dans « cher papa » « cher » s'écrit avec un *e* à la fin ?

Clément (*griffonnant sa lettre*) : Ah, non…

La mère (*s'approchant lentement de lui*) : Tu ne veux pas que je corrige tes fautes ? Tu sais, ça ne lui ferait pas tellement plaisir à papa de recevoir une lettre avec plein de fautes d'orthographe…

Sans laisser à Clément le temps de réagir, elle s'empare de la lettre. Clément essaye de la lui reprendre, mais elle la tient bien haut, hors de sa portée.

La mère : « Je suis allé », c'est *é* accent aigu, et pas « er » ; « à la braderie », *à* avec un accent, ce n'est pas le verbe avoir. Dis donc, toi et l'orthographe, c'est pas le grand amour…

Clément : Mais qu'est-ce que ça peut te faire, c'est pas à toi que j'écris, et puis d'abord, tu n'as pas le droit de lire ce que j'écris à papa…

La mère (*mettant un bras autour du cou de son fils ; exagérément tendre*) : Clément, mon petit, ne te fâche pas, c'est pour ton bien que je te dis ça… Tu sais comme ton père est sensible à ce genre de choses… Il veut que son fils soit le meilleur… Ça lui ferait de la peine de savoir que tu es nul en orthographe…

Clément (*buté*) : Je vais corriger moi-même, rends-moi ma lettre.

La mère (*faisant semblant de céder et reposant la lettre*) : Comme tu veux… Mais tu devrais aller chercher un dictionnaire et un manuel d'orthographe.

Elle s'éloigne en direction de la cuisine. Clément, après s'être assuré qu'elle est sortie, se lève pour aller chercher un dictionnaire dans sa chambre. Dès qu'il a quitté le salon, sa mère réapparaît.

Elle se dirige rapidement vers la fenêtre, l'ouvre toute grande. Un courant d'air soulève les feuilles étalées sur la table. La lettre de Clément est emportée jusqu'à la fenêtre. Un instant, elle reste coincée sur le rebord. D'une pichenette, la mère l'aide à reprendre son envol.
La lettre disparue, la mère se précipite vers la cuisine. Au moment où Clément revient dans le salon, on l'entend crier :
La mère : Attention aux courants d'air ! Ferme la porte de ta chambre !

Les histoires ne sont plus ce qu'elles étaient

L'histoire était fin prête, tout le monde était en place. Le roi lissait sa barbe blanche et astiquait sa couronne. Sa fille, la princesse, mettait une dernière touche à son maquillage, sans se douter le moins du monde que le dragon allait l'enlever dans un quart d'heure. Le dragon, qui savait bien, lui, ce qu'il préparait, réglait son lance-flammes électronique. À quelques pas de là, un petit jeune homme timide sautillait sur place en balançant les bras : c'était le chevalier sans peur et sans reproche qui se porterait volontaire pour sauver la princesse. Mais d'abord, il devait rendre service à la vieille femme qui ramassait du bois.

En fait, la vieille femme était une fée : elle était justement en train de revêtir son costume et de répéter une dernière fois son texte. Au milieu de son fagot, elle avait caché l'épée magique qu'elle devait donner au chevalier pour qu'il puisse tuer le dragon. Après, il pourrait épouser la princesse et, si tout se passait bien, ils auraient beaucoup d'enfants.

Bref, tout était prêt, on pouvait commencer : « Il était une fois... »

Mais où est donc le roi ? Impossible de le retrouver. Tant pis, on dira que la princesse est orpheline. Ça ne l'empêchera pas d'être enlevée par le dragon. Et elle épousera le chevalier sans rien demander à personne.

On appelle la princesse. Elle ne répond pas. On appelle encore, par haut-parleur cette fois. Toujours rien. C'est quand même embêtant. Il faut bien que le dragon enlève quelqu'un. Il ne peut pas enlever la vieille femme, puisque c'est une fée et qu'elle a une épée magique cachée dans son fagot. Et s'il enlève le chevalier, ce n'est plus drôle du tout : la fée devra délivrer le jeune homme et, franchement, ce n'est pas l'affaire des femmes d'affronter les dragons. On n'a jamais vu ça dans les histoires.

On peut toujours imaginer que le chevalier va combattre le dragon comme ça, sans raison particulière, pour faire un peu de sport. Et puis, s'il gagne, il épousera la vieille, c'est-à-dire la fée. Elle aime sans doute les sportifs.

Oui, mais entre-temps, le dragon a fichu le camp. Que vont faire le chevalier et la fée ? Il n'y a qu'à les envoyer ramasser du bois. Ça pourra toujours servir.

Apparemment, le chevalier n'est pas d'accord, car il a disparu sans crier gare. Et la fée refuse de faire quelques tours de magie avec sa baguette et tout son attirail. Dommage, ça aurait occupé le public.

Finalement, de toute l'histoire, il ne reste qu'une épée. Une épée magique, paraît-il.

On pourrait peut-être s'en servir comme coupe-papier ?

Fer à repasser

Je rentrais de mon cours de trompette quand je l'ai rencontrée, au feu rouge de la rue de l'Ange. Elle avait une minijupe très serrée, des bas noirs, des cheveux verts et roses. Elle avançait cahin-caha sur des chaussures à talons hauts, hauts, tellement hauts qu'elle a perdu l'équilibre et s'est étalée au milieu du passage protégé.

Comme je suis très galant, je me suis précipité pour l'aider à se relever. Elle m'a fait un grand sourire et elle m'a dit :

– Merci, p'tit gars, t'es vraiment sympa. Pour te remercier, je vais faire quelque chose pour toi. Parce que je n'ai pas l'air comme ça, mais je suis une fée. Enfin, pas tout à fait, je n'ai pas encore mon diplôme. Mais je sais déjà plein de trucs. En quoi veux-tu que je te transforme ? En poireau ?

– Hein, quoi ?

Je ne comprenais rien à ce qu'elle me voulait.

– Ah non, poireau, ça ne te dit rien ? Dommage, c'est ce que je réussis le mieux. Et en taille-crayon, ça te plairait d'être transformé en taille-crayon ?

– Écoutez, je ne tiens pas tellement à être transformé...

C'est vrai, quoi, je ne suis pas si mal que cela : yeux bleus, cheveux blonds, petit nez... même que ma grand-mère m'appelle mon petit prince charmant...

– D'accord, d'accord, a dit la fée, pas de taille-crayon. En sucette à la menthe, alors ? Ou en poteau électrique ? En benne à ordures ? Non ? Vraiment ?

J'ai bredouillé :

– Me… mer… merci beaucoup, c'est très gentil à vous, mais…

– Si, si, j'y tiens, a-t-elle insisté. Mais il faudrait que tu te décides, tu sais, parce que je n'ai plus grand-chose à mon répertoire. Ah si, j'oubliais ! Je peux aussi te transformer en fer à repasser. Oh, je suis sûre que ça va te plaire. Regarde…

Je n'ai pas eu le temps de protester. Elle a sorti sa baguette magique télescopique, elle l'a agitée en marmonnant des mots bizarres, et… zzzoup ! je me suis retrouvé coincé sur un rayonnage de supermarché, avec une étiquette, un prix et un certificat de garantie.

Et voilà ! Je suis maintenant un fer à repasser. Fer à vapeur, double programme, avec thermostat réglable, si vous voulez tout savoir. Et j'attends. Comme les crapauds des contes de fée, j'attends qu'une belle princesse vienne m'embrasser. Et je redeviendrai, comme avant, un vrai prince charmant.

Alors, mesdemoiselles, soyez gentilles : quand vous voyez un fer à repasser, embrassez-le. Qui sait, c'est peut-être moi. Et même si vous n'êtes pas très, très jolie, essayez quand même. Je vous promets, je vous épouserai.

Si maman le permet.

Rencontre

Hier, j'ai rencontré quelqu'un d'un peu bizarre. D'abord, je n'ai pas tout de suite compris ce qu'il disait. Peut-être que je n'étais pas bien réveillé, ou un peu trop distrait. J'ai cru entendre quelque chose comme : « Dzwiagztrochv king-huaxyelz trrplllikdawq iiiiiiuhhh. » Et puis : « Sprechen Sie Deutsch ? » Et ensuite : « Do you speak english ? » Et enfin : « Parlez-vous français ? » Je ne sais pas pourquoi il m'a demandé ça. Évidemment que je parle français. C'est même la seule langue que je parle. Ce qui m'a un peu étonné aussi, c'est la façon dont il était habillé. Avec une espèce de combinaison vert et rouge, toute drôle : on aurait dit une peau avec des écailles.

En y réfléchissant bien, je crois que sa tête aussi m'a un peu surpris. Une tête toute ronde qui tournait sans arrêt comme un gyrophare sur une ambulance.

Mais il était très gentil. Il m'a salué poliment et il m'a tendu la main. Une main pleine de doigts. Au moins cent. Ça fait un peu bizarre quand on la serre.

Il m'a posé toutes sortes de questions. Parfois, je ne savais pas quoi répondre. Par exemple, quand il m'a demandé si les instituteurs sont meilleurs à la broche ou en pot-au-feu. J'ai bien été obligé de lui dire que je n'en ai jamais mangé.

Ce qui était surtout rigolo, c'est qu'il sautait sans arrêt sur ses trois jambes. Ça faisait cric cric cric. Et de temps en temps il se grattait le dos avec sa langue. Je voudrais bien savoir comment il fait.

Après, je lui ai dit que je devais rentrer à la maison parce que maman m'attendait pour souper. Il ne voulait pas me laisser partir. Je crois qu'il avait encore envie de jouer. Alors je lui ai promis de revenir le lendemain.

Et ce matin, je suis parti à l'école plus tôt que d'habitude. Il m'attendait au coin de la rue et il m'a tout de suite emmené vers une grande machine qui était cachée dans les arbres du parc. Ça m'a beaucoup plu parce qu'il y a des phares de toutes les couleurs. Il m'a fait grimper à l'intérieur et il a fermé la porte. À l'intérieur de la machine, c'est assez beau. Sauf qu'il y a des boutons et des appareils un peu partout.

Il a encore dit quelque chose que je n'ai pas compris et la machine s'est mise à bouger. J'aime bien. On voit les nuages à travers les hublots. Mais je voudrais quand même savoir où il m'emmène. J'espère que ce n'est pas trop loin. Parce que je ne voudrais pas arriver en retard à l'école.

Recette de cuisine

J'ai pu enregistrer, dans le bac à légumes de mon réfrigérateur, une conversation émouvante entre une pomme golden et une pomme de terre. Voici ce document étonnant :

– Ah, chère madame, dit la pomme golden à la pomme de terre, il faut que je vous raconte ce qui est arrivé à ma meilleure amie, une pomme de reinette que je connais depuis l'école maternelle. C'est absolument é-pou-van-ta-ble ! Figurez-vous qu'on en a fait de la marmelade ! Deux individus se sont emparés d'elle, un homme tout en blanc et une jeune femme avec un grand tablier bleu. La femme a pris un couteau spécial et elle a déshabillé complètement ma copine. Imaginez un peu : toute nue sur une table de cuisine ! L'homme, lui, l'a découpée en quatre, comme ça, zic zac, en deux coups de couteau. Et il lui a arraché le cœur avec tous les pépins.

– Arrêtez, arrêtez, c'est horrible ! s'écria la pomme de terre en se bouchant, stupidement, les yeux.

– Ce n'est pas fini, poursuivit la pomme golden. Ils ont jeté la malheureuse dans une casserole, avec plein d'autres copines. Ils ont ajouté un tout petit peu d'eau et, hop ! ils ont allumé le gaz. Au bout de deux minutes, avec la vapeur, c'était pire que dans un sauna.

– Oh, un sauna, dit la pomme de terre, c'est bon pour la santé.

– Eh bien, répliqua la pomme golden, je voudrais bien vous y voir ! Au bout de vingt minutes environ, les copines étaient toutes fondues, une vraie bouillie. Alors l'homme a pris une cuillère en bois, il a rajouté 50 grammes de sucre et un peu de cannelle et il a bien remué le tout.

– Hm hm, murmura la pomme de terre, ça devait sentir bon !

– Oh, vous ! vous n'avez pas de cœur ! s'écria, indignée, la pomme golden.

Et elle éclata en sanglots.

– Vous savez, répondit la pomme de terre, je pourrais vous raconter des choses plus horribles encore. Figurez-vous que mon fiancé a été transformé en purée ! Voilà comment ça s'est passé : un homme est venu le chercher...

Malheureusement, l'enregistrement s'arrête là. Une panne de courant, probablement.

Compte

Je suis entré dans le salon. Ma mère lisait un magazine. Elle n'a pas levé les yeux, elle ne m'a pas regardé.

Je me suis dit : Je compte jusqu'à vingt. Si à vingt, elle ne m'a pas adressé la parole, je fais mon baluchon et je disparais pour toujours. Je le jure.

Un... deux... trois... quatre... cinq...

Je sais bien qu'elle ne m'aime pas.

Six... sept... huit... neuf...

Si je n'existais pas, elle pourrait sortir, s'amuser, se remarier peut-être.

Dix... onze... douze... treize...

L'autre jour, j'ai entendu ce qu'elle disait à sa copine Annie. « J'ai beaucoup de soucis avec lui. » Voilà ce qu'elle a dit.

Quatorze… quinze… seize…

Ça fait des mois qu'elle ne m'a pas embrassé.

Dix-sept… dix-huit…

Cette nuit, elle a pleuré.

Dix-neuf… dix-neuf… dix-neuf…

Maman… maman…

Dix-neuf… vvv…

– Mais qu'est-ce que tu fais là ? File te coucher ! Et plus vite que ça, ou je te fiche une claque !

Il était temps…

Merci, maman !

Nicolas et saint Nicolas

Nicolas prit l'annuaire, chercha dans les pages jaunes à la rubrique « Articles d'église et de pâtisserie », trouva le numéro dont il avait besoin, 99 00 66 00, le composa aussitôt, et attendit.

– Allô, ici saint Nicolas, fit la voix lointaine, à l'autre bout de la ligne.

– Bonjour, cher monsieur saint Nicolas, dit Nicolas. Je voudrais savoir ce qu'il faut faire pour devenir comme vous. Je m'appelle Nicolas, c'est déjà ça, mais pour être saint, comment ça se passe ? Y a-t-il une école spéciale, et un examen à préparer ?

– Moi, répondit saint Nicolas, j'ai rafistolé trois enfants qu'un sadique avait découpés en morceaux et mis en conserve dans un tonneau de sel. Tout le monde a trouvé ça bien, alors j'ai été nommé saint.

– Comment voulez-vous que je réussisse un truc pareil ? s'indigna Nicolas. D'abord, je trouve votre histoire plutôt dégoûtante. Et puis, de toute façon, plus personne aujourd'hui ne conserve la viande dans des tonneaux de sel. Si je vous ressuscite quelques poulets et lapins du congélateur, est-ce que ça suffira ?

– Essayez toujours, dit gravement saint Nicolas, je vais en discuter avec la direction.

Nicolas se précipita à la cuisine, ouvrit le congélateur familial, ressuscita selon les règles un poulet, un canard, deux lapins et même un demi-cochon qui se trouvait là, excepté les côtelettes qu'on avait déjà mangées.

Puis, sans perdre de temps, il recomposa le 99 00 66 00. Mais plus jamais, à l'autre bout de la ligne, on ne décrocha.

Escargot et tortue, tortue et escargot

Un jeune escargot qui partait en vacances rencontra en chemin une vieille tortue qui admirait le paysage. C'était la première fois que l'escargot voyait une tortue et il fut très surpris en découvrant que les escargots n'étaient pas les seuls animaux à transporter leur habitation sur leur dos. Seulement, cette vieille tortue lui parut très grosse et très laide. Il ne se gêna pas pour le lui dire. La tortue, furieuse, grimpa sur un rocher, sauta sur l'escargot et l'écrasa. Sous sa carapace.

Très loin de là, une jeune tortue qui partait en vacances rencontra en chemin un vieil escargot qui admirait le paysage. C'était la première fois que la tortue voyait un escargot et elle fut très surprise en découvrant que les tortues n'étaient pas les seuls animaux à transporter leur habitation sur leur dos. Seulement, ce vieil escargot lui parut très petit et très laid. Elle ne se gêna pas pour le lui dire. L'escargot, furieux, grimpa sur un rocher, sauta sur la tortue et s'écrasa. Sur sa carapace.

Cauchemar

21 h 30. Je suis au lit, trois oreillers dans le dos, un livre sur les genoux. Ma mère entre dans la chambre.

– Qu'est-ce que tu lis encore ?

Elle m'arrache le livre des mains, regarde, dégoûtée, la couverture dégoulinante de sang. Meurtre à la cantine, ça s'appelle, n° 356 de la collection Nuits atroces.

– Ah non ! soupire-t-elle. Encore un de tes livres d'horreur ! Et après, tu t'étonneras de faire des cauchemars !

J'essaye de lui reprendre le livre, mais elle est plus forte que moi. Je proteste :

– J'ai quand même le droit de lire ce qui me plaît !

En réalité, tout ça, c'est du cinéma. Les livres d'horreur, ça ne m'intéresse pas, mais alors pas du tout. Je ne les lis pas, je fais juste semblant.

Maman quitte la chambre, emportant le livre. J'attends qu'elle ait fermé la porte, puis je règle la sonnerie du réveil sur minuit, et j'éteins la lumière.

•

Minuit. Le réveil sonne. Une sonnerie gentille, pas agressive du tout, rassurante même.

Je me lève, tout de suite réveillé, et je me prépare. J'accélère le rythme de ma respiration, comme si j'allais étouffer. J'imagine que je suis perdu, en pleine nuit, dans une forêt menaçante. Ça marche : je tremble de la tête aux pieds, secoué de sanglots sans larmes. Je sors dans le couloir et ouvre la porte de la chambre voisine. Je pousse de petits gémissements aigus, comme des aboiements de chien étranglé. Je n'ai pas besoin de me forcer, ça vient tout seul.

Maman se réveille.

– Oh, non, Damien, encore tes cauchemars !

Elle a compris, mais pour parfaire la mise en scène, je balbutie des mots sans suite :

– Le couteau... il a crevé l'œil avec son couteau... dans les spaghettis... du sang... du sang dans les spaghettis...

Je m'écroule sur le lit de maman. Elle me sauve de la noyade en me serrant très fort dans ses bras.

– Allez, allez, c'est fini, calme-toi. Tu vois, tu aurais dû m'écouter, c'est à cause de tes livres abominables...

Je me blottis contre elle, je m'accroche à elle. Elle ne pourra pas me repousser maintenant. Encore une nuit de gagnée.

Mais il ne faut pas que j'oublie d'acheter un nouveau Nuits atroces. Sinon, maman va s'apercevoir que c'est toujours le même titre que je lis. Je veux dire : que je fais semblant de lire ! Parce que je ne suis pas fou, quand même : je n'ai pas envie de faire des cauchemars, moi.

Problème

Un roi a trois fils, dix-huit serviteurs, quinze servantes, deux chiens, huit chevaux et trente-quatre pantalons. Un jour, il fait venir ses fils et leur dit :

– Je suis né le 18 octobre 12447 à 6 h 33. Étant donné que nous sommes aujourd'hui le 26 juillet 12518 et qu'il est exactement 13 h 42, vous pouvez calculer à la minute près l'âge que j'ai. Je suis las de gouverner et j'ai décidé de me retirer. Me succédera celui d'entre vous qui me rapportera la calculette que m'a volée jadis le sorcier de la Montagne Noire. Bonne chance à vous trois !

Le fils aîné achète une carte du royaume et part à 14 h 18 avec sa voiture de sport. Il roule à une vitesse moyenne de 182 km/h. Après avoir parcouru une distance de 57 km, il tombe sur un contrôle routier dans une agglomération où la vitesse est limitée à 50 km/h. Les gendarmes lui retirent sur-le-champ son permis de conduire.

Le deuxième fils du roi se rend à la gare. La demoiselle des renseignements lui indique que le prochain train part à 15 h 02, qu'il roule à la vitesse de 115 km/h et qu'il rattrapera tôt ou tard le train précédent, parti à 13 h 33 et roulant à la vitesse de 56 km/h. La demoiselle des renseignements a une très jolie voix. Le fils du roi, pour l'entendre, lui fait répéter deux cent soixante et onze fois l'heure du train. Tant et si bien qu'il rate le départ.

Le fils cadet décide de partir à pied. Il parcourt 203 km en neuf étapes. Arrivé sur la Montagne Noire, il aperçoit une vache sanglotant dans un champ. Il lui demande la cause de son chagrin.

Elle lui explique qu'elle est la fille d'un roi riche et puissant, mais que son professeur de mathématiques l'a transformée en vache parce qu'elle n'a pas trouvé la solution de l'exercice 34 page 176. Le prince cadet prend le livre de mathématiques de la princesse-vache et résout le problème en un rien de temps. Paf ! La vache redevient une merveilleuse princesse. Pour remercier son sauveur, la princesse lui donne un double décimètre magique et un gros baiser sur la joue. Le prince grimpe jusqu'au sommet de la Montagne Noire et trouve le sorcier devant sa grotte. Le sorcier se précipite sur le prince avec une équerre et un compas, mais le prince lui donne un coup de double décimètre sur la tête et le transforme en parallélépipède rectangle.

Le prince rentre chez lui avec la calculette électronique de son papa. La princesse décide de le suivre. Ils marchent à une vitesse moyenne de 4,032 km/h. La princesse dit « Ah, que j'ai mal aux pieds ! » mille quatre cent soixante-quatre fois par jour.

Arrivé au château royal, le prince est sacré roi et épouse la princesse.

Question : combien de temps vivront-ils heureux et combien auront-ils d'enfants ?

Un amoureux trop curieux

Un jeune amoureux cueillit au jardin une reine-marguerite. Il commença – c'était un amoureux bien peu original – à arracher un à un les pétales.

– Elle m'aime un peu, beaucoup...

– Mais arrêtez, ça fait mal ! hurla la marguerite.

– ... à la folie, passionnément, pas du tout. Elle m'aime un peu..., continua le jeune homme.

– Bourreau, assassin, monstre sanguinaire, jardinier catastrophique ! gémissait la marguerite atrocement torturée.

On en dirait autant à sa place, je suppose.

Mais l'insensible amoureux récitait imperturbablement :

– ... beaucoup, à la folie, passionnément...

Jusqu'au dernier pétale :

– ... pas du tout !

– Bien fait ! dit la fleur.

Et elle mourut dans un très long soupir.

Conjugaison

Le maître a écrit au tableau :

Exercice : conjuguer au présent de l'indicatif le verbe « exister ».

Benoît lève le doigt. Timidement. Le maître ne voit rien. Il répond à Cécile qui demande un cahier.

Benoît tend la main, bien haut. Le maître cherche un cahier dans le tiroir de son bureau.

Benoît tend les deux mains et claque des doigts. Le maître se lève pour aller fouiller dans l'armoire. « Il m'a vu, se dit Benoît, je suis sûr qu'il m'a vu. » Le maître prend une pile de cahiers dans l'armoire.

Benoît se lève et sautille sur place en appelant : « M'sieur, m'sieur ! » Le maître dépose les cahiers sur son bureau et demande à Sophie d'apporter les protège-cahiers. Évidemment, c'est sa préférée !

Benoît monte sur la table et agite les bras en gémissant. On dirait un bateau qui tangue, un jour de grand vent. Le maître écrit des noms à l'encre rouge sur les cahiers. Sans lever les yeux, il dit :

– Oui, Benoît, qu'est-ce qu'il y a ?

Benoît ne répond pas.

Le maître soupire. Il regarde Benoît et dit :

– C'est bon, Benoît, je t'ai vu, tu peux te rasseoir.

Benoît s'assied et prend son stylo. Il regarde le tableau, réfléchit un instant et puis écrit :

Conjugaison

J'existe

…

Exercices

La mère de Charles a invité ses amies pour prendre le thé. Depuis sa chambre, Charles les entend papoter.

Il décroche le téléphone et compose un numéro au hasard. D'après la voix à l'autre bout de la ligne, il est tombé chez une vieille dame.

– Bonjour, chère madame, dit Charles très lentement, en articulant chaque mot exagérément, vous êtes une vieille autruche alcoolique complètement déplumée, congelée, déshydratée et lyophilisée.

– Mon petit Charles, demande sa mère depuis le salon, mon petit Charles, tu ne t'ennuies pas ?

– Non, maman, répond Charles, je fais du français, un exercice de vocabulaire.

Et toutes les dames du salon gloussent en chœur :

– Quel enfant sérieux, quel enfant studieux !

Charles va chercher l'atlas dans le bureau de son père. Sur la carte de l'Islande, il écrase une glace à la vanille. Il laisse couler du ketchup sur la Pologne et du produit à vaisselle sur la Nouvelle-Calédonie. Pour l'Australie, il choisit du yaourt à la framboise et de l'encre de Chine pour la Somalie.

– Mon petit Charles, demande sa mère, tu ne t'ennuies pas ?

– Non, maman, répond Charles, je fais de la géographie, la carte des océans avec les fleuves et les rivières.

Et toutes les dames du salon gloussent en chœur :

– Quel enfant sérieux, quel enfant studieux !

Dans l'entrée, ces dames ont entassé leurs manteaux de fourrure et laissé leurs sacs à main. En fouillant, Charles découvre quelques porte-monnaie. Il les vide soigneusement et cache tout l'argent dans le panier du chat.

– Mon petit Charles, demande sa mère, tu ne t'ennuies pas ?

– Non, maman, répond Charles, je fais des mathématiques, des additions et des soustractions.

Et toutes les dames du salon gloussent en chœur :

– Quel enfant sérieux, quel enfant studieux !

– Eh oui, dit fièrement la maman, il est le premier de sa classe.

Et Charles, pendant ce temps, a pêché le poisson rouge dans son bocal et sorti des ciseaux pointus.

« Bon, maintenant, se dit-il, je vais faire de la biologie. »

Chaussettes

À l'école, on a une directrice, Mme Michat. On la voit rarement : elle est presque toujours enfermée dans son bureau. Parfois, elle passe dans les couloirs : une ombre grise et deux taches de couleur. Les taches de couleur, ce sont ses chaussettes. C'est la seule chose qu'on regarde. Elle en a des dizaines de paires différentes : vert pomme, bleu tendre, rayées, imprimées, brodées…

Le matin, dès qu'on arrive à l'école, chacun s'interroge : « Qu'est-ce qu'elle a comme chaussettes aujourd'hui ? » Parce que les chaussettes de Mme Michat ont un secret : elles veulent dire quelque chose. L'ennui, c'est qu'on ne sait pas quoi.

Au début, on pensait que c'était en rapport avec le temps : jaune clair pour « belles éclaircies en fin de journée », gris souris pour « brouillards matinaux », etc. Mais on s'est aperçus qu'elle mettait ses chaussettes blanches à pois mauves aussi bien les jours de pluie que les jours de grand beau temps.

Ensuite, on a cru que les chaussettes annonçaient les menus de la cantine. En fait, ça n'avait rien à voir. Quand elle enfile ses chaussettes vert pomme, on a parfois du boudin, parfois du gratin de poisson et parfois des œufs avec des épinards.

Alors, on s'est dit : « Elle doit choisir ses chaussettes en fonction de son humeur. Rose clair quand elle s'est levée du bon pied ; brodées d'éclairs jaunes et rouges quand elle est mal lunée. » Mais Mme Michat n'a pas d'humeurs : elle est grise et muette comme un mur. Toujours.

Aujourd'hui, j'ai découvert le secret des chaussettes. Quand Mme Michat est passée dans le couloir, ce matin, je pensais à autre chose. Au lieu de baisser le nez pour regarder la couleur de ses chaussettes, j'ai regardé devant moi : au lieu de fixer ses pieds, j'ai fixé sa tête.

Et justement, c'est ça le secret des chaussettes : Mme Michat n'a pas de tête. Rien qu'un chignon et des lunettes.

La sorcière amoureuse

C'était une vieille, très vieille sorcière. Elle habitait une maisonnette au fond des bois, près de la source des Trois Rochers.

Un jour, un jeune homme passa devant sa fenêtre. Il était beau. Plus beau que les princes des contes de fées. Et bien plus beau que les cow-boys des publicités télévisées.

La vieille sorcière fut émue, tout d'abord, puis troublée, et enfin amoureuse. Plus amoureuse qu'elle ne l'avait jamais été.

Naturellement, elle ne ferma pas l'œil de la nuit. Elle feuilleta toutes sortes de vieux grimoires remplis de formules magiques, elle courut les bois à la recherche d'ingrédients mystérieux, elle coupa, hacha, mixa, mélangea, pesa, ajouta, remua, goûta... Et au petit matin, elle mit en bouteilles un plein chaudron d'élixir pour rajeunir.

Au début de l'après-midi, elle avala une bouteille d'élixir. Comme c'était très amer, elle procédait ainsi : un verre d'élixir, un carré de chocolat, un verre d'élixir, un bonbon à la fraise. Et ainsi de suite. Après le dernier verre, elle était redevenue jeune et jolie. Si jolie qu'elle aurait pu faire carrière au cinéma. Ou devenir institutrice.

Avec deux toiles d'araignées, un peu de poudre de crapaud et une formule magique découpée dans le journal de mode des sorcières, elle se confectionna une merveilleuse robe décolletée, garnie de dentelles. Dans son jardin, elle cueillit une rose blanche, la trempa dans un philtre d'amour et l'épingla à son corsage.

Ensuite, elle s'assit sur un banc, devant la porte, et attendit. Elle n'attendit pas longtemps. Sur le chemin, apparut le beau jeune homme, vêtu d'un riche costume brodé d'or, une fleur blanche à la boutonnière.

Le jeune homme salua la sorcière, la conversation s'engagea et, comme la sorcière était pressée, au bout d'un quart d'heure, le jeune homme était fou amoureux. Cinq minutes après, ils échangeaient leur premier baiser.

Puis brusquement, la sorcière se leva et dit très vite :

– À demain, mon bel amour !

Et elle s'enferma à double tour dans sa maisonnette.

Il était temps ! Quelques secondes plus tard, la belle jeune fille était redevenue une vieille, très vieille sorcière : l'élixir avait cessé d'agir.

Et ce fut ainsi tous les jours. Une bouteille d'élixir pour rajeunir, des mots d'amour murmurés, quelques baisers échangés, puis vite, très vite, des adieux pressés.

Le beau jeune homme ne se plaignait jamais. Il disait en souriant : « Adieu, ma belle ! » et il partait sans même se retourner.

Après quelques semaines, par un bel après-midi d'été, la sorcière déclara à son jeune homme qu'elle voulait l'épouser. Le jeune homme baissa les yeux en rougissant, et ils fixèrent le mariage au lendemain matin.

Le lendemain, donc, la vieille sorcière avala trois grandes bouteilles d'élixir pour rajeunir. Ça lui donna d'atroces douleurs d'estomac, mais il fallait bien en passer par là.

Les deux amoureux se marièrent au village voisin. Puis ils s'en retournèrent bien vite jusqu'à la maisonnette au fond des bois.

Dès qu'ils furent entrés, la sorcière ferma la porte à double tour : dans la cuisine, elle prépara une tisane pour son jeune époux, puis alla chercher dans la salle à manger les gâteaux aux pattes de mouche qu'elle faisait elle-même.

Mais l'élixir avait cessé d'agir. Quand elle revint à la cuisine, elle était redevenue une vieille, très vieille sorcière, au nez crochu, aux dents gâtées et à la peau plus ridée que du papier froissé.

Lorsqu'il la vit ainsi, son jeune mari la fixa un long moment sans rien dire. Puis, soudain, il éclata de rire :

– Vieille sorcière, ton élixir pour rajeunir ne vaut pas grand-chose ! Mais rassure-toi, le mien n'est pas meilleur.

Et, secoué d'un grand fou rire, le beau jeune homme se transforma peu à peu en un vieux, très vieux sorcier, au nez crochu, aux dents gâtées et à la peau plus ridée que du papier froissé.

Soupçon

J'ai tout de suite compris qu'il s'était passé quelque chose de grave. Dès que je l'ai vu. Il avait sauté sur mon lit et il se léchait les babines d'une manière qui m'a semblé bizarre. Je ne saurais expliquer pourquoi, mais ça me semblait bizarre. Je l'ai regardé attentivement, et lui me fixait avec ses yeux de chat incapables de dire la vérité.

Bêtement, je lui ai demandé :

– Qu'est-ce que tu as fait ?

Mais lui, il s'est étiré et a sorti ses griffes, comme il fait toujours avant de se rouler en boule pour dormir.

Inquiet, je me suis levé et je suis allé voir le poisson rouge dans le salon. Il tournait paisiblement dans son bocal, aussi inintéressant que d'habitude. Cela ne m'a pas rassuré, bien au contraire. J'ai pensé à ma souris blanche. J'ai essayé de ne pas m'affoler, de ne pas courir jusqu'au cagibi où je l'ai installée. La porte était fermée. J'ai vérifié cependant si tout était en ordre. Oui, elle grignotait un morceau de pain rassis, bien à l'abri dans son panier d'osier.

J'aurais dû être soulagé. Mais en regagnant ma chambre, j'ai vu que la porte du balcon était entrouverte. J'ai poussé un cri et mes mains se sont mises à trembler. Malgré moi, j'imaginais le spectacle atroce qui m'attendait. Mécaniquement, à la façon d'un automate, je me suis avancé et j'ai ouvert complètement la porte vitrée du balcon. J'ai levé les yeux vers la cage du canari suspendue au plafond par un crochet. Étonné, le canari m'a regardé en penchant la tête d'un côté, puis de l'autre. Et moi, j'étais tellement hébété qu'il m'a fallu un long moment avant de comprendre qu'il ne lui était rien arrivé, qu'il ne lui manquait pas une plume.

Je suis retourné dans ma chambre et j'allais me rasseoir à mon bureau lorsque j'ai vu le chat soulever une paupière et épier mes mouvements. Il se moquait ouvertement de moi.

Alors, j'ai eu un doute. Un doute horrible. Je me suis précipité dans la cuisine et j'ai hurlé quand j'ai vu...

Le monstre, il a osé ! Il a dévoré...

Je me suis laissé tomber sur un tabouret, épouvanté, complètement anéanti. Sans y croire, je fixais la table et l'assiette retournée.

... Il a dévoré mon gâteau au chocolat !

Premier amour

8 septembre

Il y a une nouvelle élève dans notre classe. Elle s'appelle Sylvie. Mme Delibes lui a dit de s'asseoir à côté de moi.

17 septembre

Sylvie m'a donné une gomme. Je lui ai donné mon stylo à plume.

8 octobre

Sylvie est malade. J'irai chez elle pour lui porter les devoirs.

13 octobre

Sylvie est revenue ce matin. Après la classe, je l'ai raccompagnée jusque chez elle.

2 décembre

J'ai écrit un poème pour Sylvie. Je l'ai jeté.

29 décembre

Vacances. Elle me manque.

17 janvier

Sylvie ne veut plus que je la raccompagne après la classe.

18 janvier

Je l'ai vue à la bibliothèque. Elle parlait à Rocco.

20 janvier

J'ai écrit à Sylvie.

21 janvier

Elle a demandé à changer de place. Elle est au premier rang maintenant.

30 juin

Je l'aime toujours...

Les histoires se terminent toujours de la même façon

Le loup fait sa sieste. L'agneau s'approche doucement et lui saute sur le ventre.

– Je veux un bonnet ! crie l'agneau. Tricote-moi un bonnet, tout de suite.

Et le loup va chercher deux pelotes de laine, des aiguilles à tricoter et un modèle découpé dans un catalogue de tricots. Il s'applique énormément, mais le fil lui échappe sans cesse et les mailles se défont.

L'agneau est mort de rire, il n'en peut plus, il se tient les côtes et se roule par terre.

Le loup est tout penaud.

– Fais-moi un gâteau au chocolat ! ordonne l'agneau.

Et le loup prend de la farine, des œufs, du beurre, du sucre, de la levure et du chocolat. Il mesure, mélange, ajoute et fait cuire, exactement comme dans la recette. Mais le gâteau ne lève pas, il est aussi plat qu'une galette.

L'agneau se tape les cuisses, à en pleurer de rire. Non, vraiment, c'est trop drôle !

Le loup s'excuse humblement.

– Lis-moi la fable du loup et de l'agneau ! réclame l'agneau.

Et le loup grimpe sur un escabeau pour attraper le gros livre relié. Il met ses lunettes, cherche la bonne page et se met à lire. Le loup a une belle voix grave et il lit merveilleusement bien.

L'agneau hurle de rire. Il fait des bonds comme un cabri, il trépigne, il étouffe.

– Encore, encore ! bêle-t-il sottement.

Le loup reprend le livre et recommence à lire. Ses yeux se rétrécissent, sa voix est comme étranglée. Au milieu de la sixième ligne, il s'arrête brusquement, se lève d'un bond, se jette sur l'agneau et le dévore.

Une histoire au menu

Entrée

Les asperges trempaient mollement dans une sauce mousseline légère et onctueuse.

Plat principal

Arriva un rosbif. Un rosbif saignant très imposant, ficelé comme un général en uniforme et accompagné d'une armée de petits pois et de carottes. Sans sommation et sans déclaration de guerre, le général rosbif lança ses troupes à l'assaut et une grêle de petits pois s'abattit sur les innocentes asperges.

Fromage

Les asperges, à la hâte, construisirent un fortin avec une pointe de brie, un morceau de gruyère et un munster très odorant. Malheureusement, le brie était coulant, le gruyère plein de trous et le munster un peu trop mou.

Dessert

Soudain, une tarte aux pommes apparut dans le ciel. Elle descendit lentement, sans bruit, et atterrit près du fortin où s'étaient réfugiées les asperges. Deux quartiers de pomme lancèrent une échelle de corde. Sans perdre de temps, les asperges grimpèrent sur la tarte. Quand elles furent toutes à bord, les quartiers de pomme retirèrent l'échelle et donnèrent le signal du départ. Et la tarte volante s'éleva dans les airs à une vitesse prodigieuse, laissant le rosbif et ses troupes abasourdis et furieux.

Prudence

Son père lui avait dit : « Un des livres de la bibliothèque est creux. En réalité, c'est une boîte déguisée. Elle contient une importante somme d'argent. En cas de besoin. »

Par pure curiosité, elle décida de chercher le livre factice. La bibliothèque était immense. Elle ouvrit les livres un à un, en commençant par les dictionnaires.

En ouvrant un vieux missel, elle trouva une image pieuse. Une feuille de laurier était coincée dans un livre de cuisine. Un morceau de tissu dépassait d'un manuel de couture.

Des fleurs séchées tombèrent d'un roman d'amour. Une fourmi rouge sortit d'un guide sur les insectes. Juste à côté, il y avait une encyclopédie musicale. Un son étrange s'échappa quand elle en souleva la couverture.

Sur une étagère du haut, elle trouva un roman policier. Elle lut le titre : *L'Assassin dans la bibliothèque*. Elle ne l'ouvrit pas.

Il y a des histoires partout

L'autre jour, pour faire plaisir à ma mère, j'ai décidé d'épousseter la bibliothèque du salon. Sur le rayon du haut, coincé entre deux dictionnaires, il y avait un tout petit livre, un recueil d'histoires courtes.

En voulant le sortir pour passer un coup de chiffon, je l'ai laissé tomber. Il s'est écrasé sur le tapis et, au même instant, la fenêtre du salon s'est ouverte brusquement. Un courant d'air a soulevé les rideaux et les feuilles du livre se sont agitées violemment. Je me suis précipité pour fermer la fenêtre, mais il était trop tard : les histoires s'étaient échappées.

Des paragraphes entiers se sont glissés sous les meubles, des phrases ont disparu entre les rainures du parquet et des mots ont roulé comme des perles sous le piano. J'ai sorti l'aspirateur et j'ai ramassé ce que j'ai pu.

Mais, apparemment, j'en ai oublié.

Hier soir, j'ai failli m'étrangler en mangeant ma soupe. C'était du bouillon de poule avec de petites pâtes. Des pâtes-lettres, l'alphabet au grand complet. Et dans mon assiette, elles formaient un fragment de phrase : «... Il lui a arraché le cœur... » J'ai pêché les lettres avec ma cuillère et je les ai discrètement glissées dans mon mouchoir.

Jamais je n'aurais pu les avaler.

Une demi-heure plus tard, ma grand-mère a eu un choc terrible. On était en train de regarder les informations télévisées quand elle s'est mise soudain à hurler : « Une bête ! Il y a une bête sur ma jambe ! » Je me suis précipité et j'ai effectivement vu quelque chose de noir qui rampait sur la jambe de ma grand-mère.